KB207383

세계의 유명한 명언 속담 격언

3분만 쓰면,

인생이 달라진다

세계의 유명한 명언 속담 격언: 3분만 쓰면, 인생이 달
라진다

발 행 | 2024년 10월 10일
편저자 | 류상민(큐티랜드)
펴낸이 | 한건희
펴낸곳 | 주식회사 부크크
출판사등록 | 2014.07.15(제2014-16호)
주 소 | 서울특별시 금천구 가산디지털1로 119 SK트윈타워 A동 305호
전 화 | 1670-8316
이메일 | info@bookk.co.kr

ISBN | 979-11-419-0882-9

세계의 유명한 명언 속담 격언

3분만 쓰면,

인생이 달라진다

편저자 류상민(큐티랜드)

일러두기

이 책은 원문의 의미를 최대한 보존하면서, 현대 독자들이 필사하기에 편하도록 문장을 보다 쉽게 다듬었습니다.

또한, 각 장의 끝에는 실생활에서 유용하게 적용할 수 있는 생활 상식과 다양한 정보를 함께 수록하여, 일상 속에서도 실천할 수 있는 지혜를 제공하고자 했습니다.

머리말

"3분만 쓰면, 인생이 달라진다."
과연 그럴까요?

무엇을 쓰냐에 따라 인생이 달라질 수 있습니다. 이 책은 단순히 문장을 적는 것이 아닌, 우리 삶을 변화시키는 작은 실천을 제시합니다. 위대한 인물들이 남긴 명언, 세대를 이어온 지혜가 담긴 속담과 격언들은 그 자체로 강력한 힘을 가지고 있습니다. 그런 말들을 직접 손으로 쓰면서 마음에 새기고, 생각을 정리하다 보면, 자연스럽게 우리의 삶에 긍정적인 변화가 일어날 것입니다.

필사는 일상 속에서 쉽게 지나치는 깨달음을 다시 마주하게 하고, 마음의 양식이 되어 나 자신을 더 깊이 들여다보는 기회를 제공합니다.

명언과 속담, 격언을 쓰는 그 순간은 단순한 필사 행위가 아니라, 나의 삶과 지혜를 연결하는 다리입니다. 마치 건강을 위해 보약을 먹는 것처럼, 우리는 손끝으로 쓰인 지혜의 보약을 마음에 담아낼 것입니다.

한마디 말이 천냥빚을 갚을 수 있듯이, 한 줄의 명언이 우리의 사고방식과 마음가짐을 변화시키고, 삶의 방향을 새롭게 정립할 수 있습니다. 그래서 이 책은 단순히 명언을 필사하는 데 그치지 않고, 그 속에 담긴 깊은 의미를 발견하며, 인생을 더 나은 방향으로 이끄는 데 도움을 줄 것입니다.

3분만 투자해 펜을 들고, 세계의 지혜가 담긴 명언과 속담, 격언을 써보세요. 짧은 시간에 당신의 인생이 조금씩, 하지만 확실하게 달라질 것입니다. 지금 바로 이 여정을 시작해 보세요!

목 차

편저자 소개

'나는 어떤 삶을 살아야 하는가?', '나에게 가장 중요한 가치는 무엇인가?'라는 질문은 우리 모두의 마음속에 자리 잡고 있는, 절대 가볍지 않은 고민입니다. 저는 이 질문을 스스로에게 끊임없이 던지며, 제 삶을 깊이 성찰하고 있는 시니어입니다.

이러한 고민 속에서, 저는 손으로 직접 글을 쓰는 필사를 통해 마음에 깊이 새기고 싶은 다양한 글들을 만나게 되었습니다. 필사를 통해 단순히 눈으로 보거나 읽는 것과는 달리, 좋은 내용을 다시금 되새기며 나 자신을 더욱 깊이 들여다볼 수 있는 소중한 기회를 얻게 되었습니다.

필사는 평범한 일상을 고귀한 삶으로 변화시키는 신비한 힘을 지니고 있습니다. 하지만, 단순히 아무

글이나 필사하는 것이 아니라, 의미 있는 글을 선택하는 것이 중요합니다. 그래서 저는 삶을 변화시키고 마음을 풍요롭게 하는 글들을 엄선하여 〈쓰면〉 시리즈를 기획하고 발간하게 되었습니다.

이 책들이 많은 분들께 필사를 통해 인생의 변화를 경험하게 하는 좋은 도구가 되기를 바랍니다. 필사를 통해 자신의 삶을 되돌아보고, 새로운 삶의 방향을 모색하는 소중한 시간을 가지시길 바랍니다. 감사합니다.

3 분만 쓰면, 인생이 달라진다!

1. 먼저 핀 꽃은

○ 먼저 핀 꽃은 먼저 진다. 남보다 앞서려 조급해하지 마라. - 채근담

○ 너무 소심하거나 신중할 필요 없다. 인생은 실험이며, 더 많은 실험을 할수록 더 나아진다. - 랄프 왈도 에머슨

○ 믿되, 반드시 확인하라. - 러시아 격언

○ 잘 달리는 말은 채찍질할 필요가 없다. - 영국 속담

** 아침 공복에 물 한 잔 마시기: 아침에 일어나자마자 공복에 물을 마시면 신진대사를 활발하게 하고, 밤사이 쌓인 독소를 배출하는 데 도움을 줍니다.

2. 오랫동안 꿈을 꾸면

○ 오랫동안 꿈을 꾸면, 그 꿈을 닮아간다. - 앙드레 말로

○ 직업에서 행복을 찾아라. 그렇지 않으면 행복이 무엇인지 모르게 된다. - 엘버트 허버드

○ 시간 절약은 생명을 연장하는 일이다. - 미국 속담

○ 항상 약간의 두려움을 가지고 살면, 큰 두려움에 빠지지 않는다. - 프랑스 속담

** 생강차로 속을 편안하게: 생강차는 소화를 돕고 배탈이나 메스꺼움을 완화해주는 효과가 있습니다. 특히 속이 불편할 때 자연스럽게 속을 진정시켜줍니다.

3. 삶이 있는 한

○ 삶이 있는 한, 희망도 있다. – 키케로

○ 언제나 현재에 집중할 수 있다면, 행복할 것이다. – 파울로 코엘료

○ 여성들은 착하기보다는 아름답게 보이는 걸 더 원한다. – 독일 격언

○ 병은 말을 타고 오지만, 거북이를 타고 사라진다. – 네덜란드 속담

** 차가운 물로 샤워 마무리하기: 따뜻한 물로 샤워를 마친 후 차가운 물로 끝내면 혈액 순환이 촉진되고, 피부 탄력이 좋아집니다.

4. 사는 것은

○ 사는 것은 치열한 전투다. - 로맹 롤랑

○ 매일 3 시간씩 걸으면, 7 년 후에는 지구를 한 바퀴 돌 수 있다. - 사무엘 존슨

○ 절망에 빠지면 선악을 가리지 않게 된다. - 일본 속담

○ 악마는 힘이 붙으면 여자를 심부름꾼으로 보낸다. - 러시아 속담

** 잠들기 전 스트레칭: 잠자리에 들기 전 간단한 스트레칭을 하면 몸의 긴장을 풀어주고, 숙면을 돕습니다. 근육 이완 효과로 피로가 더 쉽게 풀립니다.

5. 진정으로 웃으려면

O 진정으로 웃으려면 고통을 견디고, 나아가 고통을 즐길 줄 알아야 한다. – 찰리 채플린

O 신은 용기 있는 자를 절대 버리지 않는다. – 켄러

O 기다리기만 하면 굶어 죽는다. – 이탈리아 속담

O 혼자 꾸는 꿈은 그냥 꿈이지만, 함께 꾸는 꿈은 현실이 된다. – 브라질 속담

** 양말을 신은 채로 자면 숙면에 도움: 발을 따뜻하게 유지하면 체온이 안정되어 더 깊고 편안한 잠을 잘 수 있습니다. 특히 겨울철에 유용한 팁입니다.

6. 행복의 문

○ 행복의 문이 하나 닫히면 다른 문이 열린
  다. 그러나 우리는 닫힌 문만 바라보느라
  열린 문을 보지 못할 때가 많다. - 헬렌 켈
  러

○ 피할 수 없다면 즐겨라. - 로버트 엘리엇

○ 가장 즐거운 순간에 일을 멈춰라. - 독일
  격언

○ 부자는 친척을 달가워하지 않는다. - 몽골
  속담

** 식사 후 박하차 마시기: 박하차는 소화를 돕고 속을
편안하게 해줍니다. 식사 후 부담스러운 소화 문제를 완
화하는 데 유용한 차입니다.

7. 단순하게 살아라

○ 단순하게 살아라. 현대인은 불필요한 절차와 일 때문에 삶이 복잡해진다. - 이드리스 샤흐

○ 먼저 자신을 비웃어라. 다른 사람이 당신을 비웃기 전에. - 엘사 맥스웰

○ 부드러운 말은 토끼처럼 유순하다. - 티베트 속담

○ 여자의 사랑은 그녀가 입는 옷으로 알 수 있다. - 스페인 속담

** 바나나는 자연적인 기분 향상제: 바나나는 세로토닌 생성을 돕는 트립토판을 함유하고 있어 기분을 좋게 하고 스트레스를 줄여줍니다. 간식으로도 훌륭합니다.

8. 행복한 삶을 살기 위해

○ 행복한 삶을 살기 위해 필요한 것은 많지 않다. - 마르쿠스 아우렐리우스

○ 어제를 후회하지 마라. 인생은 오늘의 내 안에 있고, 내일은 내가 만들어가는 것이다. - L. 론 허바드

○ 세상은 대합실과 같다. 집이 아니기에 영원히 머물 수 없다. - 인도 속담

○ 청년 때는 노인처럼 행동하고, 노년 때는 청년처럼 행동하라. - 중국 속담

** 커피 대신 민트 향으로 각성: 피로할 때 민트 향을 맡으면 각성 효과가 있어 집중력을 높여줍니다. 커피를 자주 마시는 것보다 부담이 적고 자연스럽습니다.

9. 어리석은 사람은

○ 어리석은 사람은 멀리서 행복을 찾고, 현명한 사람은 자신의 주변에서 행복을 키워간다. - 제임스 오펜하임

○ 한 번의 실패가 영원한 실패는 아니다. - F. 스콧 피츠제럴드

○ 먹는 쌀은 같지만, 사람은 모두 다르다. - 대만 속담

○ 친구는 나의 슬픔을 그의 등에 지고 가는 사람이다. - 인디언 속담

** 잠들기 전 전자기기 사용 제한: 자기 전 스마트폰이나 컴퓨터 사용을 줄이면 숙면에 도움을 줍니다. 전자기기의 푸른 빛은 수면을 방해할 수 있습니다.

10. 좋은 성과를 얻으려면

○ 좋은 성과를 얻으려면, 한 걸음 한 걸음이 힘차고 충실해야 한다. - 단테

○ 행복은 습관이다. 그것을 몸에 익혀라. - 허버드

○ 계단을 밟아야 계단 위에 올라설 수 있다. - 터키 속담

○ 독 나무에 물을 주지 마라. - 버마 속담

** 하루 중 햇빛 10 분쯤 쬐기: 매일 짧은 시간이라도 햇빛을 쬐면 비타민 D 가 생성되어 면역력과 기분이 좋아집니다. 창가에 잠깐 앉는 것만으로도 충분합니다.

11. 성공의 비결은

○ 성공의 비결은 잘하는 일에 집중하는 것이다. - 톰 모나건

○ 자신감 있는 표정을 지으면, 자신감이 생긴다. - 찰스 다윈

○ 참으면 금을 얻고, 말하면 잔돈을 얻는다. - 태국 속담

○ 배고플 때 한 숟가락은 배부를 때 한 그릇과 같다. - 베트남 속담

** 식사 전 사과 한 개: 식사 전에 사과를 먹으면 섬유질이 풍부하여 포만감을 주고, 과식을 예방할 수 있습니다. 동시에 소화를 돕는 효과도 있습니다.

12. 평생 살 것처럼 꿈꾸고

○ 평생 살 것처럼 꿈꾸고, 내일 죽을 것처럼 오늘을 살아라. - 제임스 딘

○ 믿음은 생각이 되고, 생각은 말이 되며, 말은 행동이 되고, 행동은 습관이 되어 운명을 만든다. - 간디

○ 행복의 계단은 미끄러지기 쉽다. - 로마 속담

○ 긴 뿔을 가진 황소는 누군가와 부딪히게 마련이다. - 말레이시아 속담

** 녹차로 입안 세균 제거: 녹차는 항균 성분이 있어 하루에 한두 잔 마시면 구강 건강을 지키는 데 좋습니다. 식후 마시는 것도 좋습니다.

13. 위대한 일은

○ 위대한 일은 작은 시작에서부터 이루어진다. - 키케로

○ 포기하지 마라. 목표를 높이 세우고, 그에 대해 자부심을 가져라. - 마이크 맥라렌

○ 얼음이 깨지기 전에는 진정한 친구인지 알 수 없다. - 에스키모 속담

○ 사랑은 달콤하지만, 빵이 함께할 때 더욱 그렇다. - 이스라엘 격언

** 차 대신 따뜻한 물 마시기: 커피나 차를 자주 마시기보다 뜨거운 물을 마시면 몸을 따뜻하게 하고, 소화도 원활해집니다. 특히 아침에 뜨거운 물은 좋습니다.

14. 고통이 지나간 후에

O 고통이 지나간 후에 기쁨이 찾아온다. - 괴테

O 1%의 가능성, 그것이 나의 길이다. - 나폴레옹

O 자신의 영혼을 탐구하라. 이 길은 오직 당신만의 길이다. - 인디언 속담

O 웃는 여자는 믿지 말고, 우는 남자는 믿지 말라. - 우크라이나 속담

** 집안에서 틈틈이 걷기: 오랜 시간 앉아 있으면 다리와 허리에 무리가 갑니다. 집 안에서도 잠깐씩 자주 걸으면 혈액 순환과 허리 건강에 도움이 됩니다.

15. 삶은 순간 순간의 있음이다

○ 삶은 순간 순간의 있음이다. 한때의 시간을 최대한으로 살아라. - 법정 스님

○ 어제는 역사고, 내일은 미스터리이며, 오늘은 선물이다. 그래서 우리는 그것을 '현재'라 부른다. - 빌 킨

○ 사람들은 먹는 것만 피하면 건강할 수 있을 것이다. - 스코틀랜드 속담

○ 건강과 젊음은 잃고 나서야 그 소중함을 안다. - 아랍 속담

** 청소가 좋은 운동: 집안 청소는 단순한 일이 아니라 좋은 유산소 운동이 될 수 있습니다. 청소할 때 의식적으로 움직임을 늘리면 칼로리 소모도 됩니다.

16. 꿈을 계속 간직하면

O 꿈을 계속 간직하면, 반드시 실현될 때가 온다. - 괴테

O 화려한 일을 추구하지 마라. 중요한 것은 재능과 사랑이다. - 마더 테레사

O 돈으로 안 되는 일이 있다면, 더 많은 돈으로 해보라. - 불가리아 속담

O 좋은 사람과 함께하면 당신도 그들처럼 될 것이다. - 베네수엘라 속담

** 사무실에서 자주 일어서기: 책상에 오래 앉아 있으면 혈액 순환이 나빠질 수 있습니다. 30 분마다 일어나서 몸을 풀어주면 건강에 좋습니다.

17. 마음만으로는 안된다

○ 마음만으로는 안 된다. 반드시 실천해야 한
   다. - 이소룡

○ 기회는 기다리지 않는다. 준비된 사람에게
   찾아온다. - 안창호

○ 낙타가 천막에 코를 들이밀면 곧 몸 전체
   가 들어올 것이다. - 사우디아라비아 속담

○ 거미줄을 모두 모으면 사자도 잡을 수 있
   다. - 에티오피아 속담

** 주기적인 호흡 운동: 바쁜 일상 속에서 잠시 멈추고
깊게 숨을 쉬는 호흡 운동을 하면 스트레스가 줄어들고,
마음이 안정됩니다. 하루 몇 분만 투자해 보세요.

18. 늙고 젊음은

○ 늙고 젊음은 신념에 달려 있다. - 맥아더

○ 우리가 할 수 있는 일을 다 한다면, 우리 자신에게 깜짝 놀랄 것이다. - 에디슨

○ 게으른 사람일수록 장래에 대한 계획은 거창하다. - 노르웨이 속담

○ 썩지 않은 나무에는 버섯이 자라지 않는다. - 수단 속담

** 발목을 자주 돌려주기: 발목은 쉽게 피로해지지만 종종 소홀히 다루기 쉽습니다. 발목을 자주 돌려주면 발 건강과 전체적인 몸의 균형이 좋아집니다.

19. 오늘의 선택이

○ 오늘의 선택이 내일을 만든다. - 세르반테 스

○ 작은 것에도 감사할 줄 안다면, 그는 행복한 사람이다. - 법정 스님

○ 같은 배를 타고 있는 사람은 함께 노를 저어야 한다. - 남아프리카 속담

○ 사람은 자기가 준 것에는 하나의 눈을 가지고, 받을 것에는 일곱 개의 눈을 가진다. - 독일 속담

** 양치질 후 치실 사용: 양치질만으로는 치아 사이에 낀 음식물을 완전히 제거할 수 없습니다. 치실을 사용하면 잇몸 질환을 예방하는 데 큰 도움이 됩니다.

20. 세상은 스승으로 가득하다

○ 세상은 스승으로 가득하다. 어디서든 배울 것이 많다. - 맹자

○ 눈물과 함께 빵을 먹어본 사람만이 인생의 참맛을 안다. - 괴테

○ 사랑은 장애물을 만날수록 더 강해진다. - 독일 속담

○ 좋은 밤을 찾다가 좋은 낮을 잃는 사람이 있다. - 네덜란드 격언

** 심호흡으로 스트레스 해소: 심호흡은 스트레스를 줄이고 긴장을 완화하는 데 효과적입니다. 천천히 깊게 숨을 쉬면서 긴장을 풀어보세요.

21. 진짜는 문제는

O 진짜 문제는 사람의 마음이다. - 아인슈타
인

O 해야 할 일을 하라. 그것은 타인의 행복과
나의 행복을 위해서다. - 톨스토이

O 오늘 내가 내딛는 발걸음이 내일의 운명을
결정한다. - 미국 속담

O 태생이 미천해도 스스로 노력하면 훌륭해
질 수 있다. - 일본 속담

** 햇빛 받으며 산책하기: 하루 20 분 정도 햇빛을 받으
면 비타민 D 가 생성되어 뼈 건강에 좋습니다. 또한 산책
은 정신적 피로를 풀어줍니다.

22. 여행의 목적은

○ 여행의 목적은 도착이 아니라, 여행 그 자체이다. - 괴테

○ 화가 날 때는 100 까지 세라. 최악일 때는 욕을 해도 좋다. - 마크 트웨인

○ 아름다운 얼굴은 요리의 한 코스만큼이나 중요한 것이다. - 프랑스 속담

○ 곰과 친구가 되라. 하지만 손도끼는 항상 준비해둬라. - 러시아 속담

** 일주일에 한 번 자기 점검: 매주 자신의 생활습관과 목표를 점검해보세요. 잘 실천한 부분을 칭찬하고 개선할 부분은 수정하며 발전할 수 있습니다.

23. 재산을 잃으면

○ 재산을 잃으면 많이 잃은 것이고, 친구를 잃으면 더 많이 잃은 것이다. 그러나 용기를 잃으면 모든 것을 잃은 것이다. - 세르반테스

○ 돈은 바닷물과 같다. 마실수록 더 목이 마르다. - 쇼펜하우어

○ 작은 시작에서 큰 것이 온다. - 영국 속담

○ 돈은 영리하다. - 미국 속담

** 초콜릿 대신 견과류: 당분이 많은 간식 대신 견과류를 먹으면 영양가가 높고, 건강한 간식으로 활용할 수 있습니다.

24. 이룰 수 없는 꿈을

○ 이룰 수 없는 꿈을 꾸고, 이길 수 없는 적과 싸워라. - 세르반테스

○ 고개를 숙이지 마라. 세상을 정면으로 바라보라. - 헬렌 켈러

○ 기워붙인 셔츠와 약으로 가득 찬 위장은 오래 버티지 못한다. - 알바니아 속담

○ 맛을 보기 전에는 소금을 치지 말라. - 콩고 속담

** 외출 시 자외선 차단제 필수: 자외선은 피부 노화를 촉진하므로 외출할 때 자외선 차단제를 바르는 습관을 들이세요.

25. 고난의 시기에

○ 고난의 시기에 흔들리지 않는 것, 그것이 위대한 인물의 증거다. - 베토벤

○ 사막이 아름다운 이유는 어딘가에 샘이 있기 때문이다. - 생텍쥐페리

○ 세 번이나 같은 돌에 걸려 넘어진다면 그것은 치욕이다. - 그리스 속담

○ 한 노인의 죽음은 도서관이 타서 없어진 것과 같다. - 기니아 속담

** 명상을 통해 마음의 여유 찾기: 명상을 통해 정신적인 평안을 얻고, 스트레스에서 벗어날 수 있습니다. 명상은 마음 건강에 중요한 역할을 합니다.

26. 만족할 줄 아는 사람이

○ 만족할 줄 아는 사람이 진정한 부자다. - 솔론

○ 성공해서 만족한 것이 아니라, 만족했기 때문에 성공한 것이다. - 알랭

○ 손님은 잠시 머물러도 많은 것을 보고 돌아간다. - 몽골 속담

○ 대포 앞에서는 법도 통하지 않는다. - 이탈리아 속담

** 식사 후 양치질 30 분 후에 하기: 식사 후 바로 양치질을 하면 치아에 손상을 줄 수 있습니다. 30 분 후에 양치질을 하는 것이 좋습니다.

27. 자신을 드러내라

○ 자신을 드러내라. 그러면 재능이 빛날 것이다. - 발타사르 그라시안

○ 본성에 충실하라. 본성이 이끄는 대로 따를 때 성공할 것이다. - 시드니 스미스

○ 구두 신고 축구하는 것처럼 준비되지 않으면 승리할 수 없다. - 브라질 속담

○ 내일이 먼저 올지 내생이 먼저 올지 우리는 알 수 없다. - 티베트 속담

** 하루 30 분 걷기: 하루에 30 분 정도 걷는 습관을 들이면 심장 건강에 좋고, 체중 관리에도 효과적입니다.

28. 당신이 할 수 있다고

○ 당신이 할 수 있다고 믿든, 할 수 없다고
믿든, 믿는 대로 될 것이다. - 헨리 포드

○ 쓸데없는 일로 삶을 복잡하게 만들지 마라.
단순하게 살아라. - 이드리스 샤흐

○ 부자는 악당이거나 악당의 후손이다. - 스
페인 격언

○ 코끼리가 위기에 처했을 때는 개구리조차
도 그를 걷어차려 한다. - 힌두 속담

** 소금을 적게 사용하기: 요리할 때 소금 사용량을 줄이
면 혈압을 조절하고 심장 건강을 지킬 수 있습니다. 천연
조미료나 허브로 대체하는 것도 좋습니다.

29. 지금의 당신은

○ 지금의 당신은 과거의 선택이 만든 결과다. 당신이 인생의 주인공이다. - 바바라 홀

○ 지금이야말로 일할 때이고, 싸울 때이며, 더 나은 사람이 될 때다. - 토마스 아 켐피스

○ 성실은 어디서나 통용되는 유일한 화폐다. - 중국 속담

○ 보여주는 것보다 직접 참여하게 하는 것이 더 효과적이다. - 인디언 속담

** 신발 바꿔 신기: 한 켤레의 신발만 계속 신으면 발에 부담을 줄 수 있습니다. 여러 신발을 번갈아 신으면 발 건강에 좋습니다.

30. 모든 것에는

○ 모든 것에는 나름의 경이로움이 있다. 나는 그 안에서 만족하는 법을 배운다. - 헬렌 켈러

○ 작은 기회로부터 위대한 업적이 시작된다. - 데모스테네스

○ 춤을 못 추는 사람은 반주를 탓한다. - 태국 속담

○ 불필요한 것은 한 푼이라도 비싸다. - 로마 속담

** 업무 중 작은 목표 세우기: 큰 일을 처리할 때는 작은 목표로 나누어 진행하면 스트레스가 줄어들고 성취감이 높아집니다.

31. 인생에는

○ 인생에는 불행이라는 훌륭한 스승이 있다.
  - 프리체

○ 세상은 고통으로 가득하지만, 그것을 이겨
  내는 사람들도 많다. - 헬렌 켈러

○ 자기 운명을 바꾸려 하지 않는 자의 운명
  은 신도 바꾸지 않는다. - 말레이시아 속담

○ 썰매의 선두 개만이 경치의 변화를 즐길
  수 있다. - 에스키모 속담

** 핸드폰 사용 시간 줄이기: 하루 핸드폰 사용 시간을
줄이면 눈의 피로와 목 통증을 줄이고, 더 많은 시간을
다른 활동에 쓸 수 있습니다.

32. 할 수 있다고 믿는다면

○ 할 수 있다고 믿는다면, 할 수 있는 길이 열릴 것이다. - 헨리 포드

○ 불운이 찾아오더라도 용기로 맞서라. - 키케로

○ 뛰어난 말에도 채찍이 필요하고, 현명한 사람에게도 충고가 필요하다. - 이스라엘 격언

○ 영원히 살 것처럼 일하고, 오늘 밤 죽을 것처럼 기도하라. - 우크라이나 속담

** 식사 속도 천천히 하기: 식사를 천천히 하면 포만감을 느끼는 시간이 더 길어져 과식을 예방할 수 있습니다. 음식은 꼭꼭 씹어 먹는 습관을 들이세요.

33. 최고에 도달하려면

○ 최고에 도달하려면, 최저에서 시작하라. – P.
시루스

○ 내 비장의 무기는 희망이다. – 나폴레옹

○ 세상에 나쁜 위스키는 없다. 좋은 위스키와
더 좋은 위스키만 있을 뿐이다. – 스코틀랜
드 속담

○ 산이 움직였다고는 믿을 수 있지만, 사람이
변했다고는 믿지 마라. – 아랍 속담

** 눈에 좋은 음식 섭취: 블루베리, 당근, 녹황색 채소
등 눈에 좋은 음식을 섭취하면 시력 보호에 도움이 됩니
다. 자주 눈을 사용하는 현대인에게 특히 유용합니다.

34. 목적지에 얼마나 빨리

○ 목적지에 얼마나 빨리 가느냐가 아니라, 목적지가 어디냐가 중요하다. – 메이벨 뉴컴버

○ 한 번의 실패가 영원한 실패가 아니다. – F. 스콧 피츠제럴드

○ 바다를 건너려면 먼저 바다에 뛰어들어야 한다. – 베네수엘라 속담

○ 모든 날이 화창하다면 세상은 사막이 되어버린다. – 사우디아라비아 속담

** 오래 앉아 있을 때 다리 떨기: 장시간 앉아 있을 때 다리를 가볍게 떨면 혈액 순환에 도움이 됩니다. 작은 움직임도 건강에 큰 차이를 가져올 수 있습니다.

35. 인생은 한순간이다

○ 인생은 한순간이다. 그 순간을 즐겨라. - 플루타르코스

○ 겨울이 오면, 봄이 멀지 않으리. - 셸리

○ 악은 바늘처럼 들어와서 참나무처럼 퍼진다. - 에티오피아 속담

○ 아무리 큰 나무도 한 그루로는 숲을 이루지 못한다. - 노르웨이 속담

** 책 읽는 습관 기르기: 하루에 10 분씩이라도 책을 읽으면 지식을 넓히고, 두뇌를 활성화시킬 수 있습니다. 꾸준한 독서는 인생의 큰 자산이 됩니다.

36. 일하여 성취하라

○ 일하여 성취하라. 그러면 운명의 바퀴를 잡을 수 있다. - 랄프 왈도 에머슨

○ 당신의 행복은 무엇이 당신의 영혼을 노래하게 하는가에 달려 있다. - 낸시 설리번

○ 한 눈이 아무리 커도 두 눈보다는 낫지 않다. - 수단 속담

○ 암탉은 유방이 없지만 체온으로 병아리를 키운다. - 남아프리카 속담

** 걷는 동안 배에 힘주기: 걷는 동안 배에 힘을 주면 코어 근육이 강화되고, 자세가 개선됩니다. 간단하지만 효과적인 운동입니다.

37. 자신을 믿어라

○ 자신을 믿어라. 세상이 당신을 믿게 될 것이다. - 라파엘 나달

○ 매일 조금씩 나아지면, 언젠가 큰 변화를 이룰 수 있다. - 미하이 칙센트미하이

○ 사자와 싸울 생각을 하지 마라, 당신이 사자가 아니라면. - 아프리카 속담

○ 사자도 파리와 같은 작은 것들로부터 몸을 지켜야 한다. - 독일 속담

** 차가운 물 대신 미지근한 물 마시기: 차가운 물은 소화를 방해할 수 있습니다. 미지근한 물을 마시면 몸에 무리가 덜 가고 소화도 원활해집니다.

38. 당신이 할 일을

○ 당신이 할 일을 결정할 수 있는 사람은 오직 당신뿐이다. - 오슨 웰스

○ 무엇이든 다 가질 수 있다면, 먹는 기쁨도 반감된다. - 톰 행크스

○ 무언가를 배우는 걸 두려워하지 않으려면, 묻는 걸 두려워해서는 안 된다. - 네덜란드 속담

○ 쓴맛을 모르면 단맛도 모른다. - 독일 속담

** 소금을 적게 사용하기: 요리할 때 소금 사용량을 줄이면 혈압을 조절하고 심장 건강을 지킬 수 있습니다. 천연 조미료나 허브로 대체하는 것도 좋습니다.

39. 인생을 다시 산다면

○ 인생을 다시 산다면, 더 많은 실수를 저지를 것이다. - 나딘 스테어

○ 첫 번째로 해야 할 일은, 내가 무엇을 원하는지 결정하는 것이다. - 벤 스타인

○ 신경 쓰지 않는다는 말은 신경을 쓴다는 것이다. - 미국 격언

○ 요구하는 것은 죄가 아니며, 거절당하는 것도 불행이 아니다. - 러시아 속담

** 오랫동안 앉아 있을 때 다리 꼬지 않기: 오랫동안 앉을 때 다리를 꼬는 습관은 혈액 순환을 방해할 수 있습니다. 바른 자세로 앉는 것이 좋습니다.

40. 삶이 그대로 속일지라도

○ 삶이 그대를 속일지라도, 슬퍼하거나 노하지 마라. 즐거운 날은 반드시 온다. - 푸쉬킨

○ 가난은 그것을 가난하다고 느낄 때 존재한다. - 에머슨

○ 나를 태워주는 당나귀가, 나를 뒷발로 차는 말보다 더 가치가 있다. - 몽골 속담

○ 생선은 머리부터 썩는다. - 이탈리아 속담

** 수면에 방해되는 음료 피하기: 자기 전에는 카페인이든 음료를 피하고, 따뜻한 우유나 허브차 같은 음료를 마시면 숙면에 도움이 됩니다.

41. 문제를 찾지 말고

○ 문제를 찾지 말고, 해결책을 찾아라. - 헨리 포드

○ 되찾을 수 없는 것은 세월이다. 순간을 후회 없이 살아라. - 루소

○ 시작하는 것보다 잘 끝내는 것이 더 중요하다. - 영국 속담

○ 사랑하는 것을 가지지 못하면, 가진 것을 사랑하라. - 그리스 속담

** 감정일기 쓰기: 감정일기를 쓰는 것은 자신의 감정을 정리하고, 스트레스를 완화하는 좋은 방법입니다. 매일 5분씩 써보세요.

42. 뜻을 세우는

○ 뜻을 세우는 데 늦은 때란 없다. - 볼드윈

○ 포기하지 말고 끝까지 밀고 나가라. - 헨리
포드

○ 사냥개가 없으면 고양이와 함께 사냥하라.
- 브라질 속담

○ 해결될 문제는 걱정할 필요가 없고, 해결되
지 않을 문제는 걱정해도 소용없다. - 티베
트 속담

** 에너지 절약을 위한 전기 플러그 뽑기: 사용하지 않는
전자제품의 플러그를 뽑아두면 전기를 절약할 수 있습니
다. 작은 실천으로 에너지를 아낄 수 있습니다.

43. 불행을 잊는 가장 좋은 방법은

○ 불행을 잊는 가장 좋은 방법은 일에 몰두하는 것이다. - 베토벤

○ 두려움에 맞서기 위해 용기의 둑을 쌓아야 한다. - 마틴 루터 킹

○ 좋은 이웃이 좋은 집보다 낫다. - 스페인 속담

○ 하루에 세 번 미소를 짓는 사람은 의사가 필요 없다. - 중국 격언

** 채소와 과일의 농약 제거하기: 과일과 채소는 물에 담가두거나 베이킹소다로 세척하면 농약을 제거할 수 있어 더 안전하게 먹을 수 있습니다.

44. 가장 위대한 일은

○ 가장 위대한 일은 작은 도전들에서 시작된다. - 아리스토텔레스

○ 큰 꿈을 꾸면, 그 꿈에 걸맞은 사람이 되어 갈 것이다. - 나폴레옹

○ 어떤 말을 만 번 이상 되풀이하면, 그 일은 미래에 이루어진다. - 아메리카 인디언 금언

○ 용기 있는 자는 운명의 여신을 맞이하고, 소심한 자는 외면당한다. - 로마 격언

** 일주일에 한 번 가족과 대화하기: 바쁜 일상 속에서도 일주일에 한 번은 가족과 진솔한 대화를 나누면 가족 간의 유대감을 강화할 수 있습니다.

45. 끝난 일을 후회하기보다는

○ 끝난 일을 후회하기보다는, 하지 못한 일을 후회하라. - 탈무드

○ 실패를 잊되, 그 실패에서 배운 교훈은 잊지 마라. - 하버트 개서

○ 모든 일에 대가가 되고 싶어하는 사람은, 결국 진정한 대가가 되지 못한다. - 독일 속담

○ 옛사랑과 타다 남은 장작은 언제든 다시 불이 붙는다. - 프랑스 속담

** 자기 전 짧은 독서: 자기 전 10 분 정도 독서를 하면 마음이 안정되고 숙면을 취할 수 있습니다. 하루를 마무리하는 좋은 습관입니다.

46. 오늘은 어제 죽어간 이들이

○ 오늘은 어제 죽어간 이들이 바라던 하루다.
  – 소포클레스

○ 성공으로 가는 엘리베이터는 고장났다. 계
  단을 한 계단씩 올라가야 한다. – 조 지라
  드

○ 여자는 구두와 같다. 오랫동안 신고 있으면
  편한 슬리퍼가 된다. – 독일 속담

○ 다른 사람을 판단하기 전에 그 사람의 신
  발을 신고 10 리만 걸어보라. – 미국 속담

** 낙관적인 마인드 유지하기: 낙관적인 마인드를 유지하
면 스트레스에 대한 저항력이 높아지고, 어려운 상황에서
도 더 쉽게 이겨낼 수 있습니다.

47. 삶을 사는 두 가지 방법이

○ 삶을 사는 두 가지 방법이 있다. 하나는 기적이 없다고 생각하는 것이고, 다른 하나는 모든 것이 기적이라고 생각하는 것이다. - 알베르트 아인슈타인

○ 시간은 우리가 가장 소중히 여겨야 할 자원이다. - 벤자민 프랭클린

○ 너무 긁으면 피부가 상하듯이, 말이 많으면 마음이 상한다. - 러시아 속담

○ 서두를수록 더 뒤처지게 된다. - 독일 속담

** 간식을 규칙적으로 먹기: 과식을 피하기 위해 간식을 규칙적으로 소량 먹으면 혈당을 안정시킬 수 있고, 에너지를 유지하는 데 도움이 됩니다.

48. 삶은 준비하는 것이 아니라

○ 삶은 준비하는 것이 아니라, 지금 이 순간
  을 사는 것이다. - 마크 트웨인

○ 행복은 찾아오는 것이 아니라 만들어가는
  것이다. - 레오 톨스토이

○ 한 손으로는 단추를 뗄 수 없다. - 몽골 속
  담

○ 길을 잃는 것은 곧 길을 찾는 것이다. - 동
  아프리카 속담

** 집안 환기 자주 하기: 실내 공기가 탁해지면 호흡기
건강에 해롭습니다. 하루에 한두 번은 창문을 열어 환기
를 시켜 실내 공기를 깨끗하게 유지하세요.

49. 어둠 속에서 빛을

○ 어둠 속에서 빛을 찾으려면, 빛을 향해 걸어가야 한다. - 마틴 루터 킹

○ 한 가지 목표를 끝까지 밀고 나가는 사람만이 성공할 수 있다. - 나폴레옹 힐

○ 불행한 결혼을 한 사람은 이미 지옥에 갈 선불금을 받은 것이다. - 스웨덴 속담

○ 사자도 파리와 같은 작은 것들로부터 몸을 지켜야 한다. - 독일 속담

** 여유 시간을 활용한 자격증 공부: 여유 시간을 활용해 자격증을 공부하면 자기 개발에 도움이 되고, 커리어 발전에도 큰 도움이 됩니다.

50. 작은 시작은 큰 결과로

○ 작은 시작은 큰 결과로 이어질 수 있다. – 플라톤

○ 불행은 늘 잠재해 있지만, 그것을 극복하는 힘은 우리 안에 있다. – 헬렌 켈러

○ 노예처럼 일하고 귀족처럼 먹어라. – 알바니아 속담

○ 어떤 일에서나 유능한 사람이 되려면, 타고난 재능, 연구, 그리고 실천이 필요하다. – 고대 그리스 격언

** 냉장고 냄새 제거를 위한 베이킹소다: 냉장고 안에 베이킹소다를 두면 냄새 제거에 탁월한 효과가 있습니다. 냉장고를 깨끗하게 유지해보세요.